物体摩擦后
所携带的不发生
移动的电就是静电。

版权合同登记号：图字：30-2021-015 号

图书在版编目（CIP）数据

噼啪噼啪！是静电 /（韩）巧克力树文；（韩）崔恩
英绘；徐刘硕译 . —— 海口：海南出版社，2021.7
（小小科学家系列）
　　ISBN 978-7-5443-9974-6

Ⅰ . ①噼… Ⅱ . ①巧… ②崔… ③徐… Ⅲ . ①静电 –
儿童读物 Ⅳ . ① O441.1-49

中国版本图书馆 CIP 数据核字 (2021) 第 094203 号

噼啪噼啪！是静电
PIPA PIPA! SHI JINGDIAN

作　者：［韩］巧克力树
绘　者：［韩］崔恩英
译　者：徐刘硕
出 品 人：王景霞　谭丽琳
监　制：冉子健
责任编辑：张　雪
策划编辑：高婷婷
责任印制：杨　程
读者服务：唐雪飞
出版发行：海南出版社
总社地址：海口市金盘开发区建设三横路 2 号
邮　编：570216

北京地址：北京市朝阳区黄厂路 3 号院 7 号楼 102 室
印刷装订：北京雅图新世纪印刷科技有限公司
电　话：0898-66812392
　　　　　010-87336670
邮　箱：hnbook@263.net
版　次：2021 年 7 月第 1 版
印　次：2021 年 7 月第 1 次印刷
开　本：787mm×1 092mm　1/12
印　张：3
字　数：37.5 千字
书　号：ISBN 978-7-5443-9974-6
定　价：49.80 元

噼啪噼啪！是静电

〔韩〕巧克力树 文　　〔韩〕崔恩英 绘

徐刘硕 译

海南出版社
·海口·

未来心情糟透了。

"姐姐不陪我玩，她自己出门了。

玩娃娃，过家家，都是我一个人，真没劲。"

"汪汪，哼。"

未来感觉很无聊，

啵啵也跟着无聊。

"啵啵呀，我们去姐姐的房间吧。
姐姐房间里好玩的东西可多啦！"
未来蹑手蹑脚地来到姐姐房门口。
"嘘，小声一点。"
未来伸出了手，准备打开姐姐的房门……

4

大来屋

噼里啪啦！

"啊，好疼啊！"

未来被吓了一跳，叫出声来。

手刚一碰到门把手，

就像被针扎到似的。

"汪汪，未来你怎么了？"

"刚才门把手像蜜蜂一样蛰了我一下。"

啵啵抬起前爪说：

"那是静电呀。"

"静电是什么呀？"

"静电是……"

啵啵一副很难回答的样子，

用后爪挠了挠头。

然后啵啵回到房间，

叼来了一件毛衣外套。

"未来呀，好好看着！"
啵啵用脸在毛衣外套上蹭来蹭去，
脸上的毛立刻飞了起来。
"呜哇！"
"快看！这就是静电。"
"我也要！我也要试一试。"

未来把毛衣贴在头发上摩擦。
然后轻轻一提，头发就飞了起来。

14

"我的头发也飞起来啦！这是因为静电吗？"未来开心极了。

"我们再来做一次静电游戏吧。"
"好呀，好呀。我们再试试其他东西吧。"
未来和啵啵把屋子翻了个底朝天，
找到了塑料梳子、塑料板，还有气球。

塑料板 搓搓搓

气球 搓搓蹭蹭

18

搓一搓，蹭一蹭，揉一揉。
未来的头发还有啵啵的毛，
全都飞起来，飞起来啦！

用毛线帽
也来试一试！

"哎呀，这是怎么回事呀？"
这时妈妈打开了房门。
未来和啵啵害怕被妈妈骂，一下子停了下来。

未来握住了妈妈的手。
就在这时，噼啪噼啪，产生静电啦！
"吓我一跳！"妈妈说。

"嘿嘿，妈妈也产生静电啦！"

"汪汪，汪汪。"

"哎哟，吓我一跳！你们两个小淘气包！"

未来、啵啵和妈妈玩了一整天静电游戏。

汪汪汪汪

噼里啪啦的静电

生活中我们经常会被突然出现的静电吓一跳。那么，为什么会产生静电呢？有没有什么方法可以防止静电产生呢？

静电是什么？

虽然静电与电流很像，但是电流是沿着电线流动的，而静电是一点点累积起来，然后突然或者慢慢消失不见的。还有，因为两个物体在相互接触或者摩擦的时候，非常容易产生静电，所以我们又把静电叫作摩擦起电。

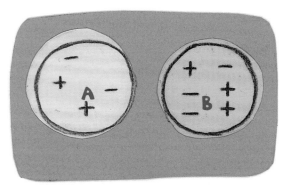

两个物体分开时

A 的正（＋）、负（－）电荷一样多，
B 的正（＋）、负（－）电荷也一样多。

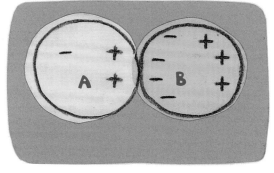

两个物体相接触时

A 上的负电荷被电力更强的 B 吸引，然后就"跑"到 B 上。静电就是这样因为物体之间吸引电荷能力的不同而产生的。

静电产生的时候应该怎么办呢？

手上产生静电时怎么办呢？

我们可以在手上涂抹乳液等保湿产品，这样就能防止双手产生静电啦。

衣服上产生静电时怎么办呢？

给我们的衣服上稍微喷些水，这样就不会产生静电啦。

梳头发时产生静电怎么办呢？

当然是用木制梳子啦，比使用塑料梳子更加可以防止静电产生哦。

电视屏幕上出现静电时怎么办呢？

先用稀释后的白醋把抹布弄湿，拧干后擦一擦屏幕，这样就可以防止静电产生啦。但是要记得给电视断电后再擦拭。

七彩小蝴蝶飞起来啦！

　　虽然静电会在生活中自然而然地产生，但是我们也可以自己创造出来。而且，我们还可以利用静电做非常好玩的游戏。现在就跟我一起来玩静电游戏吧！

准 备

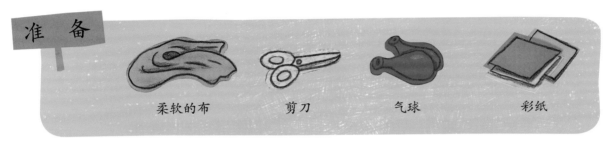

| 柔软的布 | 剪刀 | 气球 | 彩纸 |

制作过程

1 先用彩纸剪出几只蝴蝶。

2 给气球吹满气，然后把吹气口扎紧。

3 用气球接触纸蝴蝶，纸蝴蝶没有被"吸"上来。

4 用柔软的布在气球表面摩擦一会儿。

气球周围发生了怎样的变化呢？

吹好的气球，如果马上接触纸蝴蝶，并不会发生什么变化。但是，如果用柔软的布在气球表面摩擦一会儿，再接触纸蝴蝶，就可以看到纸蝴蝶被气球"吸"起来啦！这是因为，此时的气球产生了静电。

一起做快乐科学问答

问题一 噼啪噼啪！静电很容易在干燥的季节产生。如果空气中湿度大，静电是无法施展威力的。下列选项中，最容易产生静电的是哪个季节？

① 春天　　　② 夏天　　　③ 秋天　　　④ 冬天

问题二 让未来蓬松的头发飞起来的静电！下列选项中哪一个物品不容易产生静电？

   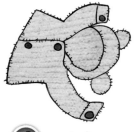

① 气球　　　② 花盆　　　③ 塑料板　　　④ 毛衣

正确答案：问题一④　问题二②